THE GE(

GW01044290

DICTIuNAKARY

DEDICATED
Te aall thems whaat taalks propor. Like.

P L U S

EURO-GEORDIE
SPESHUL PULL-OOT SUPPLEMENT

PORCIFICALLY PREFABRICATED
TE BE *PULLED OOT* (Clivvor!)

GUARANTEED
TE LEAVE REST OF BOOK
COMPLETELY DESICCATED

Oh, very dry

First published in Great Britain in 1992
by Bridge Studios,
    Kirklands,
    The Old Vicarage,
    Scremerston,
    Berwick upon Tweed,
    Northumberland TD15 2RB
    Tel: 0289 302658/330274

© Geordie Ink

Reprinted 1994

ISBN 1 872010 85 7

ACKNOWLEDGEMENTS

John Trotter Brockett *North Country Words*

Cecil Geeson *Northumberland & Durham Word Book*

Oliver Heslop *A Glossary of Northumberland Words*

Typeset by EMS Phototypesetting,
          Berwick upon Tweed.

Printed by How & Blackhall,
          77 Marygate,
          Berwick upon Tweed,
          Northumberland TD15 1BB
          Tel & Fax: 0289 307553

So's ye wanna taalk propor. Well yuv come te the reet place. Y4? (Gerrit?) Cos this is the Offishal (none of yer tatty *faallenoffthebackofalorry* stuff) Geordie Dictionarary. *Taalk?* Yul pass (oot) for a native. Corse, noo-a-days, The *Age of Communiunication*, yer gorra taalk propor. Ye divvint waanna soond ignerrant.

An whaats mair te the pint, noo-a-days it's aal Europe-this an Europe-that. The Common Market. Ne frontiers. Noo when ye gan te the Costa Bravo an get taalkin te folks, they're Spanish! Ye canna caall a place yer own.

But wul soon fettle that. Wi *Euro*-Geordie! Larn the Lingo. Chat up the bords. They'll love yer Pull-oot Supplement.

THE DICTIONARARIES
GEORDIE - ENGLISH ENGLISH - GEORDIE
(Jus read wan forst)

GEORDIE WORRDS
An Hoo Te Use Em
(Divvint warry theyor
aal transliterated)

NOTE TE THE IGNERRANT

Well, let's face it if yuv gorra use a dictionarary. Forst, yul see the worrd, like this **WORRD** Knaan as **Bold Face.** Positively impittent. An, follerin it, the daffynition in English. *Then,* like this *'Hoo Te Use It'*. *Plus,* if ye still havvint gorrit (by ye get some stumors) there is additional comment, in brackets, where it is deemed (good worrd that) appropriate. Mind yer gerrin yer money's worrth. Aalreet? Reet. Ne mair clues. Divvint knaa why aah bothor.

4

AABUT All but. ***By it war close. We aabut wan.*** (United lost six nowt.)

AAD Old. ***Hor next door's aad fashint.*** (Ne video an aal lace cortins.)

AAFUL Awful. ***Oah, it's aaful, Norse.***

AAFUL AAFUL Awful. ***Oah, it's aaful aaful Doctor.*** (Keep in resorve. Case he's ganna sign ye off.)

AAKWAAD Awkward. ***Hor's aakwaad.*** (The wife.)

AAL All. ***Aal ower bar the shootin.*** (Sunnerlan's wan doon.)

AALREET All right. ***Wor aalreet noo.*** (Sunnerlan's two doon.)

ABACKABEYONT At the back of beyond. ***He's livin abackabeyont.*** (Gatesheed.)

AFORE Before. ***Doon a pint afore ye gan.*** (Seein yer buyin.)

AGYEN Again. ***Hor's at agyen.*** (An aah'm off doon the Club.)

ALANG Along. ***Gannin Alang the Scotswood Road.*** (Aal stan for the National Anthem.)

BAAD Ill. ***Oah, aah'm varry baad, Hinny.*** (Geordie's gorra caad.)

BAAL Ball. *Gisus yer clooty baal.* (Wot United'll be kickin roond, if they gan on gannin on the way theyor gannin on.)

BABBY Baby. *Divvint be a babby or aah'll tell yer Da.* (Knaan as Role Modellin.)

BAIRN Child. *By, that's a Bonny Bairn yuv got there Missus.* (Geordie fancies his chances.)

BAIT Packed lunch. *Wan stottie. Ye caall that bait!* (Hor's at Weight Wotchors agyen).

BANKY Hilly. *By, Denton Born's ower banky.* (Moontenous!)

BANTY Bantam. *Whey yeor nowt burra banty!* (Ne wondor. *Wan* stottie!)

BARGIE Claim. *Bargie me forst.* (An ne argie bargie.)

BATTOR Drinking bout. *Geordie's aan the battor.* (An passed the pint of ne retorn.)

BILE Boil. *Gan aan, bile some tap wattor, Hinny.* (Aah'll have it wi me wan stottie.)

BELAA Below. *Doon belaa.* (Nivvor ye mind wot's doon belaa.)

BLAA Breath. *Gis a minute, aah get me blaa.* (Theyor shudda caalled Denton Born, Banky Born.)

BLAA OOT Drinking bout. *Are ye gannin doon the Club for a blaa oot?* (Hor's at Weight Wotchors.)

BLEACHIN Raining heavily. *It's bleachin doon.* (Aah knaa, its Race Week.)

BOGIE Cart. *Gis a gan aan yer bogie.* (Pram wheels! Posh.)

BONNY Skilful. *Wor Jackie's a bonny kickor.* (Milborn, ye greet nanna.)

BONNY LAD Friend. *Wot cheor me Bonny Lad.* (Wan of the lads.)

BOOL Bowl. *Gan an bool yer hoop.* (Doon Denton Bank.)

BOOT Bout. *There's a boot aboot.* (He's doon wi Flu. Change from Flo.)

BORSTIN Bursting. *Aah'm borstin.* (Ne comment.)

BOWT Bought. *Jus bowt some new claes.* (An a reet clip ye luk.)

BRAY Beat. *Aah'll bray ye. Taalkin aboot me claes.*

BREED Bread. *Hinny, if there's ne breed, aah'll jus have toast.*

BREEKS Trousers. *Gorrem wi his breeks doon.* (Divvint luk at me, aah ony wark heor.)

BROON Brown. *Gis a Broon.* (*Newcassel* Broon! Ruddy furrinors.)

BROWTINS UP Upbringing. *Divvint show yer browtins up.* (Tellem yer a Geordie.)

BUBBLE Cry. *Gan aan, have a bubble.* (Aah knaa aah will. Wish aah'd nivvor started.)

BULLET Sweet. *Gis a black bullet.* (Scuse fingors.)

CAAD Cold. *By it's caad.* (Wor Chill Factor's biggor an yor Chill Factor.)

CAAL Call. *Whaat time de ye caal this?* (But, Hinny, there wus a Committee Meetin.)

CANNA Can't. *Aah wud if aah cud but aah canna.* (Oah, aah waad.)

CANNY Nice. *The mos porfec worrd in the Geordie vocabularary. It can mean owt or nowt, from nowt startlin te varry ...... canny. It's aal in hoo ye say it, an if ye divvint knaa, aah wudn't bothor askin. It's that sort of worrd.*

CANNY CRACK Raconteur. *By he's a canny crack.* (Taalk the hind leg off a cuddy.)

CARLINS Grey peas. *Wul have carlins on Sunday.* (Agyen.)

CHAMPION Splendid. *By it's champion.* (Noo ye knaa wot aah mean by varry cånny.)

CHARE Alley. *Aah'll see ye in Puddin Chare.* (But divvint be puddin it roond. Gerrit?)

CHEP Chap. *By, he's a canny aad chep.* (Me.)

CHIMLEY Chimney. *By that's a greet big chimley.* (The Shot Toower afore it come doon.)

CHORCH Church. *See ye in chorch.* (Sorry, Hinny, gorra Committee Meetin.)

CHOWK Choke. *Ye buy us a drink? Aah'd rather chowk forst.* (Well, aal reet, then, but nobbut a pint. Principles.)

CLAGGY Sticky. *Oah, them bullets is ower claggy.*

CLARTIN ABOOT Messing about. *Stop clartin aboot.* (If ye divvint wanna buy the book, divvint maal it aboot.)

CLARTS Mud. *The Moor's aal clarts.* (Aah knaa, it's Race Week.)

CLARTY Dirty. *If yer not buying the book, divvint gerrit clarty.* (By ye get some stumors.)

CLASH Slam. *An divvint clash the shop door aftor ye.* (Aye an gud riddance te ye. Free read, ye wanna gan doon the librarary.)

CLIP Messy dresser. *What a reet clip, that wan. Mair sense than money.*

CLIVVOR Well. *Aah'm not se clivvor. Fowerteen pints an chips. Oah, them chips.*

DAB Expert. *By he's a dab hand at worrds.* (*Ye* will be eftor this lot.)

DASH Shandy. *Gis us a Broon an a dash.* (It'll de for hor.)

DE Do. *De ye wanna buy this byeuk or divvint ye?*

DEAR KNAAS Goodness knows. *Dear knaas it's cheap enough.*

DEED Dead. *Wot cheor, folks, did ye think aah was deed?* (Jimmy Learmouth, well-loved Geordie comedian, at the Newcassel Empire on his retorn from a stay in a mental hospital.)

DEEF Deaf. *Deef as a post.* (Like some folks when axed whe's torn it is.)

DICKY-BORD Small bird. *Waatch the dicky-bord!* (Traditional Geordie sayin used when lookin thru theor camcardors.)

DIVVINT Don't. *Divvint mind me.* (But yud berra.)

DOOK Duck. *Dook doon.* (Heors the gaffor.)

DORTY Rainy. *By it's dorty oot.* (Aah knaa, it's Race Week.)

DROONED Drowned. *Jus been oot an got drooned.* (Ditto.)

DUNSH Crash into. *'Divvint Dunshus, weor Geordies'.* (Scott Dobson's immortal car stickor.)

EFTOR After. *Whaat's for eftors?* (Geordie gets his just dessorts.)

A WORRD TE THE Y's
(Ye, Ye and Ye)

By yer ganna bless this Supplement, if yer ganna gan te the Coontent. Aal reet, Europe.

Europe! Yud think they'd jus invented the place. Christopher Columbus's got nowt on Toonsend Ferries:

> '1992, Toonsend sailed
> The Channel Blue.'

But not for lang. Not wi this Chunnel lark. Any road, divvint get me staarted. Weor aal palsy-walsy noo. It jus used te be TOT.[†]

This Supplement. It's got aal yul ivvor need te knaa te communiunicate wi the natives. Cos, ye gorra remembor, thems aal taalk funny. Whaat de ye expect? Let's face it, theyor furrinors. Aah knaa, yer heart bleeds.

So, *Bon Voyage* an *Mal de Mer*. (That's French for aah'm sick of hor Ma.)

[†]Thems Ower Theor

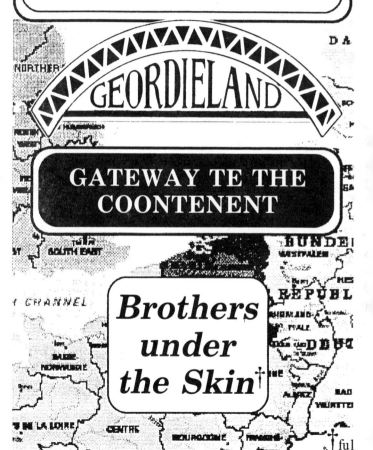

EURO-GEORDIE
PULL-OOT SUPPLEMENT

GEORDIELAND

GATEWAY TE THE COONTENENT

Brothers under the Skin†

† ful

GEORDIE	FRENCH	SPANISH	ITALIAN
Wot cheor	Bonjour	Beunos dias	Buon giorno
Tarra well	Au revoir	Hasta la vista	Arrivederci
Sorry hinny	Excusez-moi	¡Perdón!	Mi scusi
Please	S'il vous plaît	Por favor	Per favore
Ta	Merci	Gracias	Grazie
Aye	Oui	Si	Si
Na	Non	No	No
De ye taalk...	Parlez-vous...?	¿Habla...?	Parla...?
English	Anglais	Inglés	Inglese
French	Français	Francés	Francese
Spanish	Espagnol	Español	Spagnolo
Italian	Italien	Italiano	Italiano
German	Allemand	Aleman	Tedesco
Danish	Danois	Danés	Danese
Norwegian	Norwégian	Noruego	Norvegese
Swedish	Suédois	Sueco	Svedese
De ye unerstan...?	Comprenez-vous...?	¿Me entiendes?	Comprende..?
Aah divvint unerstan	Je ne comprends pas	No te entiendo	Non comprendo
Taalk slaa	Parlez lentement	Hable usted despacio	Parli adagio

GERMAN	DANISH	NORWEGIAN	SWEDISH
Guten Tag	Goddag	Goddag	God dag
Auf Wiedersehen!	Farvel	Adjø	Adjö
Entschuldigen Sie!	Undskyld!	Unnskyld!	Ursäkta
Bitte	Vaer venlig	Vaer så snill	Var snäll
Danke	Mange tak	Takk	Tack
Ja	Ja	Ja	Ja
Nein	Nej	Nei	Nej
Sprechen Sie..?	Taler De...?	Snakker De...?	Talar Ni...?
Englisch	Engelsk	Engelsk	Engelska
Französisch	Fransk	Fransk	Franska
Spanisch	Spansk	Spansk	Spanska
Italienisch	Italiensk	Italiensk	Italienska
Deutsch	Tysk	Tysk	Tyska
Dänisch	Dansk	Dansk	Danska
Norweger	Norsk	Norsk	Norska
Schwedisch	Svensk	Svensk	Svenska
Verstehen Sie...?	De forstår mig ikke	De forstår meg ikke	Ni förstår mig inte
Ich verstehe nicht	Jeg forstår ikke	Jeg forstår ikke	Jag föstår inte
Sprechen Sie langsam	Vil De være venlig at tale lang sommere	Vil De være så vennlig å snakke lang sommere	Vill ni sara snäll och tala lång lång sammare

ON THE LINGO

T PARADISE
EURO – GEORDIE

I'll lie back

Sur la plage
(Oot for a plodge)

INTOR SPORTS

Après she

...nonnaie
torn)

SUMMOR SPORTS

Summor not

GEORDIE	FRENCH	SPANISH	ITALIAN
Spondoolas	Argent	Dinero	Denaro
How much?	Combien	¿Cuánto cuesta?	Quanto?
Cheapor	Meilleur marché	Lo más barato	A miglior pezz
Ower deor	Trop cher	Demasiado caro	Troppo caro
For nowt	Gratuit	Gratuitamente	Gratuito
Hoo de ye say?	Traduisez-moi	Tradúzcame usted	Mi traduca
Hadaway wi this lot	Emportez cela	Llévese usted esto	Porta via
Gan an get	Allez chercher	Vaya a buscar	Vada a cercar
Jus listen, reet?	Ecoutez-moi	Escúcheme	Senta
Write it doon	Ecrire	Escribir	Scrivere
Aahm fair beat	Je suis fatigué	Estoy cansado	Sono stanco
Oah aahm baad	Je suis sens mal	Me siento mal	Mi sento male
Wan, te, trey	Un, deux, trois	Uno, dos, tres	Uno, due, tre
Hunnerd	Cent	Ciento, cien	Cento
Thoosan	Mille	Mil	Mille
Pund	Franc	Peseta	Lira

GERMAN	DANISH	NORWEGIAN	SWEDISH
Geld	Penge	Penger	Pengar
Wieviel?	Hvad kosterdenne?	Hva for noe?	Hur mycket
Billiger, preiswerter	Billigere	Billigere	Billigare
Zu teurer	Det er dyrt	Det er dyrt	Det år dyrt
Umsonst	Gratis	Fri	Fritt
Übersetzen Sie mir	Hvad hedder det på	Hva er det på	Vad heter det på
Nehmen Sie das weg	Vær venlig at fjerne dette	Vær så vennlig å fjerne dette	Var snell ock tag det här
Holen Sir mir	Vær venlig at bringe mig	Vær så vennlig å bringe meg	Var snäll och ge mig
Hören Sie mir zu	Lytte	Hør	Hör på mig
Schreiben	Vær venlig at skrive det ned	Vær så vennlig å skrive det ned	Var snäll och skriv ner det
Ich bin müde	Jeg er træt	Jeg er trett	Jag är trött
Ich fühle mich nicht wohl	Ligge syg	Ligge syk	Jag mår illa
Eins, zwei, drei	En (et), to, tre	En (et), to, tre	Ett (en), två, tre
Hundert	Hunderede	Hundre	Hundra
Tausend	Tusind	Tusen	Tusen
Mark	Krone	Krone	Krona

EURO-GEORDIE
WORRDS AN PHRASES
(Aal transliterated)

PAR EXCELLENCE **'Supor Dad.'**

FORMIDABLE! **'Weyebeggor.'**

COUP DE GRÂCE **'Cut the grass.'**

JE NE SAIS QUOI **(Noa, sorry, divvint knaa quite whaat that wan means.)**

FLEUR-DE-LYS **'Lyin wi floowors.'**

À LA CARTE **'On the trolley.'**

SANS SOUCI **'Ne sauce.'**

JE T' ADORE **'Shut the door.'**

OUVREZ LA PORTE **'Open the port.'**

COQ AU VIN **(Pass)**

MAGRET DE CANARD MARINÉ ET GRILLÉ AVEC CHOUX VERT AU GIN-GEMBRE **'Thaat ower theor.'**

AUF WIEDERHÖREN! **'Until I hear ye agyen.'** **(Use it aan hor mithor.)**

ELWIS Always. ***Friday neet, Geordie's elwis doon the Club.*** (In English, aalways.)

FADGE Flat loaf. ***Wor Geordie jus luvs a fadge.*** (I think that's wot it means.)

FEMMER Fragile. ***Gan canny, it's ower femmer.*** (Nivvor say DIY.)

FETTLE Fix. ***Wul soon fettle that.*** (Clag it tegithor.)

FETTLE Mood. ***Wot fettle?*** (Hoo ye gannin aan?)

FOISTY Damp. ***By it's foisty in heor.*** (Ye wanna geroot an aboot.)

FONDY Fool. ***Ye greet fondy.*** (Gan aan, buy wan.)

FORBYE As well as. ***Forbye, get wan for yer marra.***

FOR FAIRS In earnest. ***This wan for fairs.*** (It coonts.)

FORST First. ***Wul ye be oor Forst Foot?*** (Seein yuv got dark hair.)

GADGIE Old man. ***Whee's the gadgie?*** (Had yer gob!)

GAFFOR Foreman. ***Whee's the gaffor?*** (That gadgie ower theor.)

GALLUSES Braces. *Hinny, ha ye seen me galluses?* (Ye gorrem aan ye greet fyeul.)

GAMMY Lame. *Hinny, wi me gammy leg, aah canna wark.* (Forthor than the Club.)

GANNIN Going. qv *Alang.* (Cross reference! Noo ye knaa it's a propor dictionarary.)

GANNON Fuss. *By, this is a bonny gannon.* (Hors draggin us te a weddin.)

GANZIE Jersey. *Noa, ye canna wear yer ganzie te the weddin.* (But, Hinny, this collar's killin us.)

GEORDIE Inhabitant of North East, synonymous with superioriority. (Nebody knaas, but me tannor's aan John Trotter Brockett, 1846: 'From George, a very common name among pitmen who gave the name *Geordie* to Mr George Stephenson's lamp in contradistinction to the *Davy*, or Sir Humphrey Davy's lamp'.)

GLAKY Dim-witted. *Divvint be glaky.* (Tell em yer a Geordie.)

GREET Great. *Greet big goggly eyes.* (The Lambton Worrm.)

GYEZEND Parched, *Aah'm fair parched.* (Aah cud doon a Broon.)

HAAD Hold. *Haad yer gob, aah'll tell ye aall an aaful story.* _(The Lambton Worrm.)

HACKY DORTY Filthy. *Yul get hacky dorty if ye divvint wear yer Mini-Pinny.* (Advort).

HADAWAY Go away. *Hadaway, yor hacky dorty.* (Gan an get weshed.)

HAMMORS Punishment. *Yul get yer hammors if ye get hacky dorty, mind.*

HANSTORN Work. *Aah've nivvor done a hanstorn aal week.* (Yul get yer hammors.)

HEED Head. *Geordies are nivvor big heeded.* (Jus accurate.)

HINNY Honey. *Hoo ye gannin aan, Hinny?* (Torm of endearment. Save for *Canny*, Geordie lingo arrits best.)

HITCHY DABBERS Hop Scotch. *Divvint be playing hitchy dabbers wi yer waatch.* (Geordie to aad gent fumblin wi his tornip.)

HOITY TOITY Flighty. *Divvint get aal hoity toity wi me.* (Or ye can jus hadaway tappy lappy doon the lonnen. Well, divvint jus sit theor, luk em aal up.)

HONKERS Haunches. **Scrooch doon on yer honkers.** (Impressem at the Golf Club, when yer checkin yer putt.)

HOOKY MAT Rag rug. **By that's a bonny hooky mat.** (Me, mesell, like aah always refors te it as a clippy mat. Mair refined.)

HOOSE House. **There's ne luck aboot the hoose.** (Hor's weshin.)

HOPPINS Fair. **Are ye gannin te the Hoppins?** (Aan the Moor, ye greet clip. Divvint ye knaa it's Race Week?)

HOY Throw. **Hoy ye hammor ower heor.** (An mind me heed, mind.)

HOYIN OOT TIME Closing time. **Drink up, lads, it's hoyin oot time.** (Jus wan mair for the guttor.)

HOWAY Come on. **Howay the Lads!** (The Geordie's Battle Cry.)

HUMP Carry. **Oh, noa, it's ne bothor humpin a crate of Broon.** (Try an stop us.)

HYEM Home. **When the train comes ower the High Level, ye knaa ye hyem.**

IMPITTENT Impertinent. ***Divvint be impittent.*** (Yul gerra clip roond yer lugs.)

IVVOR Ever. ***'Ivvor? Nivvor!'*** (Q: 'Canna Geordie ivvor be wrang?')

JAA Talk. ***Nowt like a gud jaa.*** (Ower a Broon).

JARRA Jarrow. ***The Jarra Tunnel was afores the Channel Tunnel.*** (Aalways aheed of its Tyne.)

KEEK Peep. ***Ne keekin at the end, mind.*** (Berrit's the butlor.)

KEEL ROW Tyneside song. ***Weel may the keel row, that my laddie's in.*** (Tyneside song published, 1774. Beat that.)

KIDDAR Friend. ***Wot cheor, Kiddar.*** (Like Hinny, full of Geordie warrmth.)

KITE Stomach. ***By he's gorra reet kite on him.*** (Aal that Broon? Nivvor in the worrld.)

KNAA Know. ***Wot's yer ship caalled? 'An-na.' Aah knaa ye knaa but aah wanna knaa te.*** (Ship te ship afores phones.)

LAA Low. ***By aah'm feelin laa.*** (Broon starvation.)

LACKY Elastic. *De ye wanna a new lacky band for yer aad bangor?*

LARN Learn. *Larn Yersel' Geordie.* (Scott Dobson's magnum opus.)

LONNEN Long straight road. *He's livin aan Two Baall Lonnen. Quite the nob.*

LOP Flea. *Aah'm fit as a lop.* (It's aal that Broon.)

LOWP Leap. *An aah'm lowpin roond aan it.*

LOWSE Finishing time. *Aah'm away hyem it's lowse.* (An aboot time.)

MAIR More. *Nivvor ne mair.* (Gannin aan the Shuggy Shews.)

MARRA Mate. *He war a marra of mine.* (Till he took us aan the Shuggies.)

MAZER Marvel. *Wor Nannie's a Mazer.* (Tyneside song.)

MESELL Myself. *Jus mesell, aan me aan.* (Altegithor noo, 'Aaaaaaah!')

MEVVY May be. *Mevvy aah will an mevvy waant.* (An that's definite.)

MIND Remember. *Gan canny mind!* (Divvint waant ne accidents.)

MORTALLIOUS Drunk. *Borderin aan the mortallious.* (Positively pixilated.)

MUGGLES Marbles. *Gis a game of muggles.* (For fairs.)

NA No. *Na!* (An that's in the afformative.)

NEB Nose. *Aalways gorris neb in a byeuk.* (So hoo aboot buyin wan?)

NETTY Lavatory. *Jus gannin doon the netty.* (Te wattor the rhubarb).

NEWCASSEL Newcastle. (Capital city of Geordieland – Hyem of the Broon.)

NOWT STARTLIN Nothing startling. (The porfect Geordie put doon at its economical best.)

OOT Out. *Aah think it'll get oot.* (Landlady taalk for it's bleachin doon.)

OWER Over. *Giv ower gannin aan.* (Or aah'm off doon the Club agyen.)

OWT Anything. *Wan stottie – neithor owt nor nowt.*

PAID Spent. *By aah'm fair paid oot.* (It's aal this writin. By, aah hope yer taakin aal this in.)

PAAN Pawn. *Aah'm jus gannin doon the paan shop.* (Aah fancy the three-thorty.)

PANHAGGERTY Geordie dish of meat, potatoes and sometimes onions. *Porfect!*

PEASE PUDDIN Ham-flavoured split peas. *It'll gan wi yer panhaggerty.*

PELT Hard rain. *It's peltin doon.* (Aah knaa, it's Race Week.)

PITMATIC Pitman's patter. *Geordie's takin Pitmatics at Neet Skyul.* (The Hopin Univorsity.)

PLODGE Paddle. *Hoo aboot gannin for a plodge?* (Cullercoats, whey else?)

POSS Wash. *Hinny, ye wanna gerra poss tub an mangle.* (Early Bendix.)

RAA Row. *Weor livin on the Raa.* (Divvint bothor aboot the address, jus come.)

REED Red. *Like a reed rag te a bull.* (Hor mithor.)

REET Right. *By hor's a reet wan.* (Ditto.)

ROLLEY Pitmatic for trolley.

SAASA Saucer. *Divvint sha yer browtins up, drink oot the saasa.* (An fan it wi yer cap.)

SAIR Sore. *Oah, me tongue's sair.* (Aah telt ye te fan it wi yer cap.)

SARTIN Certain. *Aah haad the winnor for sartin.* (Geordie's lost his tannor.)

SCRANCHUMS Crackling. *Geordie jus luvs park scranchums.* (Wi his pease puddin.)

SEAM Job. *By thaat's a canny seam.* (It's a bobby's job.)

SELT Sold. *Yuv selt us the wrang short!* (Aah shudda gan te the Store.)

SHABBY Ill. *Aah'm feelin reet shabby.* (It's aal them scranchums.)

SHARP Early. *By yeor sharp off the mark.* (Club's open.)

SHIFT Move house. *Weor ganna have te shift.* (Nearor the Club.)

SHOOT Shout. *It's aal ower bar the shootin.* (Aah knaa, Sunnerlans two doon agyen.)

SHORT Shirt. *This short's ower lang.*

SHUGGY SHEWS Swing boats. *Are ye gannin aan the shuggies?* (Eftor yer plodge.)

SINGIN HINNIES Geordie scones that sizzle aan the griddle.

SLAKE Mud flat. *Jarra Slakes.* (Worrld famous roond heor.)

SKEW-WHIFF Untidy. *Me hairs gan aal skew-whiff.* (Aah telt ye not te wesh it ivvry month.)

SMITHEREENS Small pieces. *It's gan te smithereens.* (Thoosans.)

SNAA Snow. *Aah think it's ganna snaa.* (Aah knaa, it's Race Week.)

SNECK Latch. *Divvint leave the door off the sneck.* (Norrif it's ganna snaa!)

SNOTTY Superior. *Hor's gan aal snotty.* (Varry High West Jesmoond.)

SOWL Soul. *Didn't knaa a sowl.* (In High West Jesmond.)

SPELK Slight person. *Ye greet spelk.* (Nee wondor, wi wan stotty.)

SPUGGY Sparrow. *We war coontin the spuggies in Jessy Dene.* (Thought to be the site of the original Garden of Castle Eden.)

SQITTS Quits. *Wan mair Broon an weor squitts.* (Yor torn.)

STARVIN Freezing. *Aah'm starvin.* (Aah knaa, it's RW!)

STOTTIN Bouncing. *It's stottin doon.* (Ditto.)

STOTTIE Flat bun. *Whe's for stottie borgors?* (If ye can get mair than wan.)

TALLY-MAN Credit draper. *Gorra dress from the talley-man.* (Dior? Varry.)

TELT Told. *Hoo de ye tell a Geordie? Divvint, he canna be telt.*

TOON Town. *Aah'll get the bus in te the toon.* (Newcassel, aalways Newcassel.)

TOUCHED Simple. *Mus be, readin aal this.*

TOWLD Told. *Aah towld ye he cudna be telt.*

TWANKIN Spanking. *By yul gerra twankin when yer Da comes hyem.* (Knaan as social conditionin.)

TYEK Take. *He tyeks eftor his Da.* (Ne wondor he's in for a twankin.)

UNAXED Uninvited. *He jus come roond unaxed.* (Tax inspector.)

UPTACK Understanding. *He's slaa aan the uptack.* (Ne dictionarary.)

VARRY Very. *He's varry slaa aan the uptack.* (Ditto wi nobs on.)

VINE Pencil. *Gis a lend of yer vine.* (Fill in me pools.)

WAAD Would. *Ye waad!* (There's ne answor to that.)

WARSE Worse. *Warse is warse than worse.*

WEEL *Well.* *Yer weel when ye norras warse as wot ye war.*

WESH Wash. *Monday's wesh day.* (Gaad helpus.)

WETTOR Water. *Wettor makes ye wettor.* (Gerrit.)

WHE Who. *Noo whe's ganna buy this dictionarary?* (Divvint aal shoot at wance.)

WOR Our. *Wor Geordie's gannin hyem.*

WOT CHEOR What cheer? *Wot cheor, Geordie.* (Noo ye knaa yer hyem.)